北京古籍叢書

[清]麟慶 著文 [清]汪春泉 等 繪圖

鴻雪因緣圖記

第三冊

北京出版集團公司
北京出版社

圖書在版編目（CIP）數據

鴻雪因緣圖記．第三册 /（清）麟慶著文；（清）汪春泉等繪圖．— 北京：北京出版社，2018. 2

（北京古籍叢書）

ISBN 978-7-200-13579-4

Ⅰ．①鴻… Ⅱ．①麟… ②汪… Ⅲ．①古典散文—散文集—中國—清代 Ⅳ．①I264. 9

中國版本圖書館 CIP 數據核字（2017）第 282812 號

項目策劃：安 東　　項目統籌：許 可

責任編輯：喬天一 許 可　　責任印製：宋 超

裝幀設計：郭 宇

北京古籍叢書

鴻雪因緣圖記

第三册

[清]麟慶 著文

[清]汪春泉 等 繪圖

出 版 北京出版集團公司

北京出版社

地 址 北京北三環中路六號

郵 編 一〇〇一二〇

網 址 www.bph.com.cn

總發行 北京出版集團公司

經 銷 新華書店

印 刷 北京京華虎彩印刷公司

開 本 八八〇毫米×一二三〇毫米 三十二

印 張 十一點二五

字 數 一四一千字

版 次 二〇一八年二月第一版

印 次 二〇一八年二月第一次印刷

書號 ISBN 978-7-200-13579-4

定價 98.00 圓

如有印裝質量問題，由本社負責調换

質量監督電話 010-58572393

鴻雪因緣第二圖記序

夫謝傅功高，望酬朝野；燕公筆健，氣助江山。按部則甘雨隨車，移鎮則陽春有腳。造蒼生之福命，是大因緣；考赤縣之輿圖，有真經濟。倘不標題金石，潤色丹青，何以紀運甓之分陰，寫攜琴之寸抱哉。則有神清永叔，副本爭描；才富樊南，甲編早訂。華年敬歷，先工鸞手之摹；棠舍循行，新樂騶牙之咏。經綸道大，山水情深，如我年伯見亭麟公者，固泉壑之夔龍，衣冠之巢許也。公向有鴻雪因緣圖記，今又輯而增之。職領封圻，已逾十稔；相徵通貴，復繪三毫。狀鄴侯之九仙，撰會昌之一品。年傚麟經之繫，其旨數千；序符象服之朝，爲圖八十。幸捧函而雒誦，竊比類而參觀。令夫臣亮天功，薰廷之景運；孝爲人瑞，瓠史之名言。師友繫于周官，靈異參乎羲易。心歌腹詠，慕漢吏之循聲；智水仁山，悟宋儒之理趣。

揭其體要，詮厥因緣。
公績奏旬宣，榮膺晝接。廿七最列書之冠，五六刻
温語之咨。韓忠獻建白襃誠，賜麃胎之内膳，董
師中焚黃給假，省馬鬣之先塋。陳臬中州，平章
庶獄。法删杜律，風披棘木之清，奏釋
堯廑，瑞吐榴花之燦。
命承重巽，道必由庚，貴筑開藩，武昌填撫。上鮑照河
清之頌，任寄宣防，際袁昂官達之年，字

頒福壽。宣捷領戰圖之十，攝官佩節篆之三。

恩遇之隆，其緣一也。

公何籌衍澤，陸社廾馨。延年居官，履杜周之舊位；

榮公養志，奉申國之徽音。經幔高懸，斑衣懽侍。

蘭閨輯錄，補窈窕德象之篇；彤管徵詩，采澄景

靈葩之句。堂顏再至，暉答三春。樂姑婦之談棊，

品女孫之賦茗。

公之擢任黔陽也，路同蜀道之難，時緩崔輿之奉。

梅花繪扇，深荷慈恩；椹澗瞻雲，曲伸孺慕。今雖感縈蒿蔚，景逝桑榆，而大體深知，奬承天語。遺容宛在，畫倩神工。勝蔡母賜帔之褒，同丁子刻檀而祀。顯揚之報，緣文一也。

公學有淵源，味同沆瀣，濟州舊輔，授鉢傳衣。胥浦元臣，推襟送抱。識李沆之風度，決富弼之勳名。黃閣登庸，預贈吉祥之券；紅橋修禊，先憑丞相之茵。禮習貙劉，集同寮而校獵；字摹蝌篆，招良友而摎奇。獅峯趺坐之時，談偕釋子；廒舩長鳴之候，秋辨騷人。贄文酬舉主之知，讀曲送使君之去。依紅泛綠，王侍中蓮幕之才；酌酒簪花，陳太傅藥欄之宴。賓延珠履，士度金針。氣誼之孚，緣又一也。

公文昌度世，古佛前生。光飛樓上之丹，靈驗祠中之玟。隱顧長康之葉，元妙尋蕉，助鄭巨君之風，氾光證夢。田道人懸壺之樹，仙蹟留題，爰寄生吹笛之灘，神禽飛送。蓋立德功者，必關運數，懷忠信者，可涉波濤。螭蟠沉水之碑，嘉名預定，魚護專車之骨，朱篆群觀。轉漕連檣，雨喜神龍之助；減流啓壩，汗驚泥馬之沾。尅禮河報祭之時，請星瀆昭靈之額，神貺之甄緣又一也。公胸羅璣斗，識炯晶燈。無蘇味道之模棱，有劉真長之鎮靜。慎終如始，奉

宸訓之周詳；濟猛以寬，副輿情之愛戴。疏清刷濁，速

韮漳水之芻，數澤騰歡，瑞咏梁園之雪，措嚴程而叱馭，撫峒戸而頒條。材珍藥籠之儲，教同蜀郡；花禁米囊之種，治比崇陽。免瘠土之催科，旌生苗之孝義。篤英從節，罽毦攀轅。驗額馬于荆營，探鎮犀于息壤。且也，經明禹貢，楫作洪源。月隄衛貞應之祠，水誌定天然之牐。列修防之器具，創繪全圖；建砌石之津梁，永占利涉。樓船習戰，威控三江；禺筴籌鹽，利通九府。爲萬民之慈父，洵一代之名臣。施濟之宏，緣又一也。

公符佩黃神，書披蒼水。詢俗勞褰帷之駐，哄騶減負弩之迎。古木寒煙，弔李唐之詞客；跰鐘清磬，游石晉之禪林。南陽本嶽降之區，歡迎滅獲；秦洞非津迷之地，誕闢神仙。石窟光圓，精參著理；甕灘地險，博證桑經。酌扃趵之靈泉，眺龍蓯之曉日。橘盃春餞，松炬宵燃。探宛委之書，洞天華妙；塑僧伽之像，梵相圓明。理燮陰陽，丙吉停車之問，恩周物類，孔愉篆紐之徵。抒懷則霽月光風，繪景則河聲嶽色。遊觀之壯，緣又一也。况夫嶽視三公，崇銜日峻；波澄千頃，宏量天成。雅頌同文，冠自題之韻語；韋平作相，卜繼起之勳猷。裴中立命值廉貞，張方平堂留畫象。則此八十圖者，殆祕集之嬋連，後緣之喤引乎。安瀾奉鑄顔之訓，驥尾趨塵；叨御李之榮，龍門侍列。序慚鄭亞，韻叶王筠。此時讀畫高齋，常接九天欬唾；

異日圖形傑閣、更看七寶莊嚴。謹序。

道光辛丑秋八月年家子金安瀾拜撰

鴻雪因緣圖記者，兵部侍郎、江南河道總督長白麟公之所作也。自髫丱之歲至四十年，為圖八十；是為第一卷。自四十至五十，為圖復八十，為第二卷。其第一卷，阮相國、祁尚書序之矣。道光辛丑秋，自珍過淮，以内閣後進禮謁公浦上，睟乎其容，慰勞有加，使自珍綴言於第二卷之簡端。微公命，自珍固有所難言，重以公命，烏能無言。古今名臣碩輔，所遇之世不齊，為承平之臣易乎，為憂勞況瘁、盤根錯節、立奇功、戡大變之臣易乎。則必曰：為承平者易矣。雖然，固有辨。今世所遇而永之承平無事也，起家科名，致身華膴，一切勿問，固不得預於賢大夫之數，其人固良易賢矣，不甘以科名華膴竟矣，不過博覽書史，周知掌故，上足以備人主燕閒之顧問，宦轍所至，宏獎士類，進其春華秋實之士而揚扢之，其人雖賢，誠無甚難及者。若乃內韞嵌略，外示紆餘，蓄孟門積石於方寸，可以譚笑生風雷，而汪洋澹涵沖字寬易，使人不見駛疾驀驟之迹。猝有事變，挾袂而起，若勁弩激箭之發，若儲之數十年於其襄裒間者。之人也，蓋於天下可以常、可以變之全局大勢爛然於胸中，而不可方物，以逶迤於承平華膴者也，斯豈尋常意計所能以肌軒輊者。今我麟公則殆其人哉，殆其人哉。百有六十圖，雖亦談人倫之樂事，嫓門内之祥和，簪筆以入，秉軺以出，無亢厲之言，有廻翔之態。公弱冠通籍於

全盛之朝，家世鶉華，山川清宴，宜其
然也。然而微窺公行部所及，山川形勢，
人民謠俗，古蹟今狀，皆備載之，茀為無
本之說與不急之言。而又閔民生之疾
苦，討軍實之有無。天下形勢半在
於是，而姑韜晦其所學，不欲張大其
名目，以託於百六十篇之繪事記云爾。
即如在南河，籌河工罷其圖說四卷，

古今之奇作，天下有用之書，孰加於是。然其目不過曰謹豫編圖，孔其章明諺耶。今天下承平日久，而海氛未靖，此公所以有石公驗礮之舉也。公以河督兼署制軍，特小試其端耳。天子且益大用公。公行且總攬四海財賦而籌之，使公私上下交裕，然後入相天子，激揚清濁，煥發士大夫之耳目，以振厲一世，此海宇所喁喁望公者，百六十篇皆其嚆矢也。叟十年，自珍當叟序之，敬濡筆以俟。

道光二十一年歲次重光赤奮若孟秋上旬三日内閣後進仁和龔自珍頓首拜篹

河防一覽榷言

道光辛丑秋七月，
見亭夫子出鴻雪因緣圖記見
示。前後俱八十圖，〻繫以說。第
一卷，祁春圃尚書已爲之敘
矣。其第二集，蓋陳臬河南，擢
節黔、楚及總制南河時所作。熙
喜奉音塵，頓開眼界。敬申喤

引，用附辮香。竊聞稟川嶽之精者，其氣必引星辰而上；懋鼎鐘之績者，其福必綿江海而長。緊古簪筆之臣，綴文之士，摛華揚藻，研都鍊京，大抵抒閎見之恢奇，撫山川之夸濶。然而蜀程紀行，未攬九埏之勝；吳船

著錄，終輸五嶽之遊。未有督作
八州，集採一品。惜金粟之前因，
範模山水；印雪泥之舊爪，供裒
煙雲，如我
見亭夫子之紀續舊遊，圖成新製
者也。凡
夫子金源世胄，鐵券家聲，蚤擷巍

科，游躋華省。自東郡趨庭，南陔奉職，搴帷問俗，露冕觀風。來長生請雨之歌，趙廣漢鉆筒之頌，固已風行列郡，圖畫百城矣。進尹河南，時陳臬事，喜鵲巢之似鼓，當燕寢之凝香。叙庚郵而弁語新題，編乙部而繪圖更始。李鄴侯本神仙風度，謝太傅有山澤間儀。時則彤廷述職，丹陛趨風。朝頒玉瑞，溫綸宏錫類之恩；衣染鑪香，優詔上先人之冢。遂乃訪洛下之耆英，謁山中之宰相。游紀南池，古隸重摹釋墳；居尋東院，新诗競和尖叉。日照榴花之色，鉴丹忱而獄反沉冤；風傳塔寺之鈴，鑄精鐵而闊成平等。小隊弓刀，射期門之狩兔；大河牲玉，觀守相之蜚魚。既而白鹿夹車，緑熊凴軾。伊闕龍門，膺七日屏藩之任；

蘭膏鳳髓，酬當年盃珓之靈。詩編名媛，選樓備采中聲；記訪叢基，碑式旁參大統。迨使節星移，士林而泣。父老百錢，競攀轅而卧轍；詞人一斛，爰敘德以抒情。洵足以紀嵩少之遊，補夢華之録已。然而蘆笙銅鼓，地無三里之平；瘴雨蠻烟，天有十旬之漏。雖攜儷眷，莫奉溫輿。采赤甚而星繁，望白雲而天遠。溯旗鈴之誕降，羡旌節之重臨。黄羅保母，話往事而諕鍾；白首門丁，述迎親而雀躍。碑隨淚而龜趺，苑在，蕉覆隍而鹿夢依然。滄浪覺渡，緬山甫之遺封；古洞尋源，指淵明之舊宅。峽轉空舲，穿石猶傳馬援；滙參明月，遺經足證桑欽。已過湘女之祠，遂抵竹王之廟。椎髻桶裙，坐鎮直同於黔國；沙行繩渡，叱馭遠過乎王尊。雲生足下，龍從蚕度巖阿；泉落山巔，虬箭如浮刻漏，聽姎女之歌，秋延甲秀；説生公之法，尼解丁虎。觀燈水口，遥知西峅之明霞；演武葉壢，盡選南天之赤羽。虎嶺獅峯，改土歸流者咸知耕種；蠻花猺鳥，褒忠教孝者悉被旌揚。當行省之移旌，屬扶風之祖道。酌橘酒而詩成座上，戴椰瓢而淚墮杯中。無復搜珠洞之奇，覽月潭之勝。羽陵仙囊，穆天子之藏書；木簃盈壺，回道人之奇跡。鳶跕水而蛇蜕巖，灘聲攪夢；魚秤水而鵝嗖食，湖水流花。五嶺烙印，先歌孝牧於荊門；九澤安瀾，允幾成功於息壤。又不僅考湖湘之逸事，續委宛之餘編實。且夫江漢朝宗，同受尾閭之洩；淮黃濟運，上通星宿之源。

帝念宣防，敕監都水。乃甫拜皇華之命，遽興風木之悲。惘

王事之賢勞，降
天章之優渥。隴卜紅簫跂，呦々之馴鹿；
林森孝筍，瞻啞々之慈烏。蓋身
許馳驅，心存蘊結，福賜
奎章，雅合園名清晏；衡平心秤，欣看
賡定天然。故纘思禹服，頌平成
者不伐不矜；名載河圖，銘福與

者告謀告至。遂使桃花激浪，竹箭通流。人歌砥柱之功，户仰宣房之築。乃偶借公餘，嬉諧翰墨。水木清華，建青雀白鷗之舫；沙堤貞庭，飾明璫翠羽之祠。戮祢魚於東海，不同鐘鼓之祀爰居，獲玉馬於西園，匪緣風雪之停校獵。商館題襟，亭放鶴而臺戲馬；晉門留照，翅金鳥而指天龍。金山月湧，僊留帯以鎮山門；鐵甕天低，俯坐石而談將苑。慕孔愉之放生，鼉更應鼓；仰焦先之郵詔，鵠含題名。别開洞壑，最宜菴歸松筠，小隱華陽，信有樓觀滄海。訪法嗣之團蕉，翛然高詠；跂風流於司李，渺矣長春。由是勞謙悅豫，雲河繪工具之圖；積厚流光，休應協神祇之夢。雖復恩承賜綺，宴賞簪花，猶且居營築塢，立神燈而子午針盤；井敢勞民，禮聖塔而展辰鑠蹟。帆穩中流，舊雨悟注江之義；花為四壁，清風喜積禁之聲。正不徒和繞英之韻，梅山嶺探春；書絳縣之年，麥卿進視也。試看魚星協兆，鑒寅衷而兩

澤滂流，蜃氣成樓，觀亥市而

江淮底定。大衍

錫九疇之福，延齡拜三壽之

恩。才量玉尺，獻歌謠者雅管風琴，

墨灑金壺，讀賜書者錦贉緗

軸。秉鈞衡之重任，握使相之

新權。叙官箴則文武兼資，籌

鹽筴則公私並濟。登綠野之堂，鵷鷺選勝；偹紅橋之禊，龍樹參禪。况鑒臣心，煮茗憶東山之墅；波騰士氣，臨江觀北府之兵。修敵臺之舊礮，会厘衣袽；設沙漫之慈航，舟通捆載。所由智水安流，信風致順，

三錫而倍隆
天眷，八年而屢荷神庥。僾聞愾見，
奉先既竟見 慈容；錯節槃根，
寫照亦躬延孝子。是則九敘九
歌，方興未艾；一官一集，相引彌
長也。行見玉燭調元，金甌贊
化，圖形宣室，列畫雲臺。三百

六句之躔度，上相文昌；二十四考之中書，令公僕射。重摹爪印，普入縢緣。此日袞衣繡黼，先歌安宅之鴻，他年藻繪丹青，更立程门之雪。

受業趙廷熙謹序

凝香室鴻雪因緣圖記目錄

長白麟慶見亭氏著

第二集上册

見宗先生五十歲小像

胡駿聲繪

贊

一見公容目擊道存督河見智撫黔以仁卅載宦遊觸處風淳養乾坤之浩气得山水之精神持如意已指揮間緒論而絶倫人皆比曰韓范真有光乎斯文

象山了璞呈藁

小照自題

江河富水，黔楚富山。撫黔督江，領此崇銜。慚奉職之無狀，藉宦遊以紀年。惟屢承福壽之賜，故又邀山水之緣。

帝城展覲

帝城展覲

道光九年，歲次己丑，麟慶年三十九歲，任河南開歸陳許道。霜降回省，奉委赴河北，會同李升齋、栗樸園（名毓美，山西拔貢，後晉河督，卒謚恭勤。）兩觀察，踏勘漳、衛二河運道，行次內黃縣楚旺鎮，接准部文，十月奉
上諭：福建按察使著惠吉調補。所遺河南按察使，著麟慶補授。欽此。遵即具摺請
覲。十一月初七日，迎摺北上，在直隸福城驛奉到
硃批：著來見。欽此。二十二日抵都。時大雪初霽，石路如洗。雖寒煙蕭瑟，而晴霞遠山，暮色紫翠與

宮闕相掩映。計宦遊已歷八載，景物倍覺恬熙。仰望五雲，就瞻倍切。爰於二十四、二十五、二十六日，三叩宮門，均蒙

召見養心殿，詳詢地方、河工、人才、營制及緝捕事宜。

諭以政貴有恒，慎終如始，勿存化大為小之見。

恩賜克食二次，並給省墓假五日。謹即跪

安出都。再余在道任，於六年十月，七年九月，九年三月，

蒙豫撫　程梓庭、楊海梁二先生

奏委兼署臬篆，凡三次。

樂存謂師

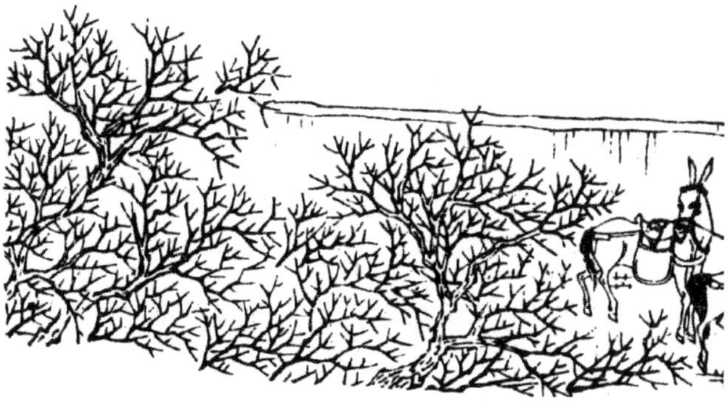

樂存謁師

余在道任五年，從未私赴山東，一謁河帥，至是始迂道濟州，聞 孫寄圃先生家居王莊，在州北十五里，乃往謁。甫出郭，天風高揚，顥氣澄肅。將至村，見老樹迴環，柴扉靜掩。及門下馬，有老翁問姓名，延入草堂。則見綯茅素壁，鮮潔無塵。因知訓簡戒奢，從容自得。謹拱立以竢。少遲，先生出，命坐，餉茶，寒暄慰藉，并殺雞為黍以食之。飯罷，先生起指楹帖而笑曰：此先師嵇文恭公（諱璜，江蘇進士，官大學士。）所贈也。公善相，記乾隆乙未會試，出公門，時方招飲。前三次均未及，逮第四次，僕始得與。或請分次，故公曰：試觀今日座中，有一不館選者否。驗之，果然。退而省之，蓋第一次均歸班，二三次皆即用及分部者，益服公之精鑒。越數載，僕官檢討，充史館提調，例得京察外轉，以年少辭。公不許，辭之力，公曰：子不信吾言，獨不信吾相乎，子來年必放道，他日封疆南服，勉作好官。翌午手書此帖相贈。逾歲果授河東道，洊歷江督。茲因獲咎閉門，深覺愧對先師。前在金陵，見足下風度端凝，早知福澤必厚，今當摹贈為券。余謹起視，楹帖云：早歲鴻名空北野，清時碩望重南天。遜謝弗遑。先生笑曰，子亦不信吾相乎，又指樂存堂額曰：此僕自題，凡林間之歲月，皆天上之恩波。老夫耄矣，足下勉之。

南池誌喜

南池誌喜

濟州，古任城，太白樓即城南樓也。唐賀知章爲任城令，觴李白於此。南池在南門外，倚城臨河，唐杜甫曾遊讌其地。後人因之濬池築館，並建太白樓、少陵祠，以伸景仰。乾隆三十年，

高宗南巡，回鑾臨幸，

錫以天章光燄萬丈。余駐濟之次日，莫蕤邨司馬（名樹菁，福建，廩生。）治具，請一攬其勝。時運河冰正流澌，古木寒煙，別饒逸致。既而風甚，圍爐斗室，聽談夏秋間空重往來之盛，憶及前議豫省運道，心切懸懸。適席間

得河南委員王淇（字峰皆，浙江，監生，時官州判，後晉同知。祥工督埽，沒於水。贈道銜，予雲騎尉，入祀昭忠祠。）稟知新漕已兌，暢行無阻，爲之浮一大白。先是，秋八月，漳水決於直豫交界之楚旺鎮，奪溜入衛，運道淤塞。河南有司請改由衛河受兌。直隸以淺阻爭。楊海梁先生特檄往看，勘得水性漳濁衛清，洹、湯次之。地勢則漳高於洹，洹高於湯、衛。所以漳水日徙而南，挾洹入衛。若議嗣後由衛運糧，慮在伏秋異漲，四水爭流，難免旁溢。似應仍挑復漳河故道，挽洹歸漳，藉清刷濁，庶期經久。本年兌運限迫，自應暫行。查空船喫水以徐州幫爲最，例用一尺六寸。向以六百石爲滿載，每五十石一寸，計重運應二尺·八寸，現在直境水過六捺，無虞淺阻。會議甫上，而余有迎摺之行，至是始釋於懷焉。

梁苑詠雪

梁苑詠雪

河南按察司署在撫署西，本大道宫故址，乾隆十五年改建。嘉慶己未，麟慶年九歲，侍

大父曉巖公宦此，讀書於東南隅室。時吾

母惲太夫人侍

曾大母戴佳太夫人居東院，越今凡三十年，幸荷

聖恩，重蒞斯職。受篆日，有老吏跪而啟曰：祖老大人在任時，威隆秋霜，恩逾冬日。蕭曹祠現有長生禄位。

麟慶敬詣叩拜，益覺繩

武爲難。爰於己丑十二月二十二日移居司署，吾

母喜甚，仍寓東院，並命崇實、崇厚仍讀書東南隅室，以為家傳盛事。會三冬無雪，謹齋壇祈禱。越歲庚寅正月九日，得雪盈尺。余因和坡翁尖叉詩以誌喜。曰：東風吹出散纖纖，醞釀連朝氣候嚴。戲海仙人齊種玉，和羹宰相正調鹽。已欣膏澤敷梁苑，佇聽歡聲滿鄴簷。喜極捲簾看不厭，飛花亂撲玉鈎尖。其一 鼕鼕衙鼓起拳鴉，門外應無來往車。課女正宜吟柳絮，呼童端為掃梅花。高風誰訪袁安宅，豪興偏輸党進家。喜得髯蘇留韻事，心香一瓣和尖叉。其二 時幕客及門下士屬和者三十四人，金葉仙名守椿，浙江，監生，今官知縣。手編成帙。二月仲文弟以主事乞假來署，亦和二律，結句云：試把佳篇評甲乙，登峯誰占最高尖。又云：多少梁園風雅士，續貂深愧學温叉。

消夏閒紀續編卷三

榴廳治書

榴廳治書

庚寅春，御史某条奏河南驛馬缺額，編派民車及捕務懈弛，不立章程等情。

上命侍郎鍾昌、楊懌曾（安徽，進士，後官巡撫。）赴豫查辦。四月抵省，札飭登復，羣情洶洶，浮議棼起。余邀幕客何虎文（名炳）、余立甫（名成。俱浙江人。）詳查成案，同治官書。大旨言豫省有驛四十七州縣，額馬三千六百八匹，喂養有銷，倒斃准補，按年造冊報部，不容短缺。至車輛本各驛所無，遇有差需，向係雇用，有按畝公派者，有計里輪支者，有此保專應此差者，有由地保承辦及紳耆董事者，要皆依例給價，無差不派，遇歉酌裁年豐則復總之，驛站借用民力，已閱一百八十餘年。如果用民而重病於民，自當剔積弊而與之更始。今就通省損益計之，不違公旬三日之義，相安已久，似應仍循其舊，惟約束牧令丁胥爾。至緝捕章程，不過編保甲、嚴守望、偵線究窩等事，不難徒託空言，要在責以實效。查巡撫楊莅任以來，督屬緝獲捻匪王發魁等二百十五名、盜犯謝添貴等一百三名、匪犯邢名順等一百十名、鄰省逃盜季丙寅等十二名。本司在道任，督緝教匪聶士貞

等五十四名，自正月至今，又獲捻盜五十餘名，此外命案，不復臚敘。議上簽卷，隨送

欽差覆核，據實入告，

聖心釋然。初余之起草也，廳前雙榴，丹心欲吐。比奉

批回，照眼鮮明，紅飛如火，乃張宴以酬幕客。

閒雲巴結匯言

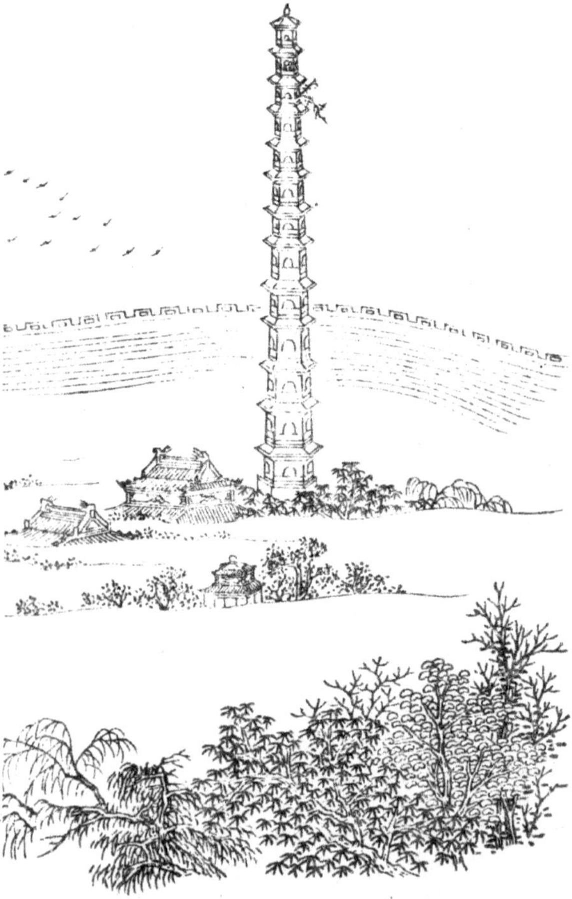

鐵塔眺遠

鐵塔眺遠

鐵色琉璃塔，建於宋慶歷中，在河南甘露寺。寺建於晉天福間，初名等覺禪院，宋改上方，明末沒於水，惟塔獨存。

國初修復，俗以鐵塔寺呼之。乾隆十五年，

高宗臨幸，勅賜今名。獨是僻在省城東北隅，貢院之後，遊蹤罕至，香火冷落。歲庚寅，楊海梁先生勸捐重修貢院，檄祥符令鄒鍾泉（名鳴鶴，江蘇，進士，今官道員。）督紳士張光第（祥符，舉人，後官直隸州。）等監工，而囑余董其成。九月杪，親往查驗，順道過寺，則見塔峙鐘殘，殿荒僧老。

尋徑至塔院，仰視十三層，層各一門，其十一層有樹倒垂，蔚然蒼古。乃開塔門，燃炬入，則見塔心中實，磴道盤旋，悉以鐵琉璃瓦為之，規製與他塔異。爰振衣而上，登三層，近指貢院，號舍翼張，堂軒鱗次。五層，見城內公署市闤，人煙繁庶。七層，見城外平野，菜畦縠隴相間，有堤橫亘西北，宛宛相屬。九層，遙望黃河如帶，近俯雁字進退離合，若相與，若相背。余神凝其間，幾忘其事。登十二層，天為之寬，地為之闊，目力所及，直接青霄。十三層有鐵佛據門，不可登，乃循級而下。至院回視，夕陽在山，落霞森射，琉璃輝映，黝色變金。俄而西山化碧，又閃爲紫。歸白吾母，聞殿宇雖庇風雨，發願莊嚴，逾歲竟復舊觀矣。

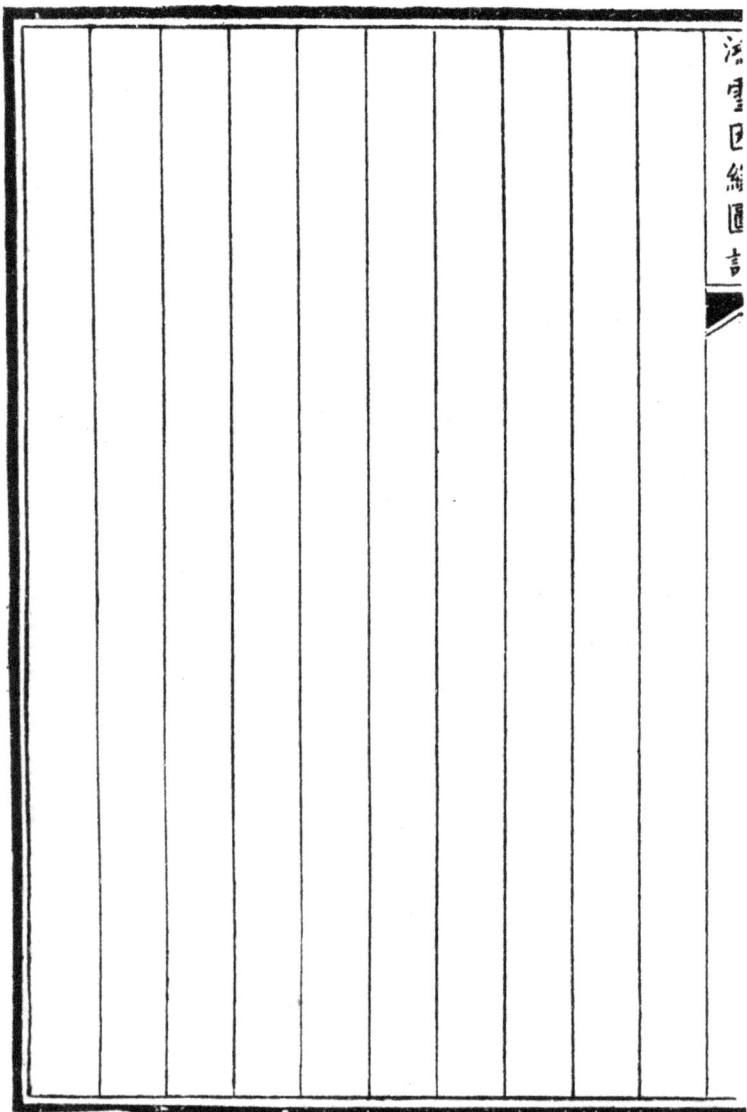

鳳岡校獵

鳳岡校獵

楊海梁先生，　忠武公（諱遇春，由武舉歷官總督，以軍功封一等侯。）次子也，習聞庭訓，精於練兵，以故蒞任三載，豫營改觀。公暇每率標弁出郊射獵。一日，邀余同行，見余馬聞火器聲而動，乃出忠武公所乘海騮易之，即以相贈。時轅下士悉戎裝輕騎，張弓挾矢，背鷹韋犬，不令而從。比出宋門，小雪甫晴，纖塵不起，風肅肅如箭過，乃張兩翼。行約十餘里，有雙兔突起草間，一弁絕塵而馳，兩發兩殪。繼見飛雁，先生顧曰為我彈第二隻來。一弁應聲立馬陣前，仰天一彈，有鳥應弦而墜。兩翼齊聲喝采。余諦視，彈者牛松山，（汜水武舉，後官守備。）射者剛毅，（駐防武舉，後官都司。）皆乙酉提調武闈所取士也。於是合圍者再，薄午抵鳳城岡，獵馬帶禽已纍纍矣。歸路緩鞚微吟，得詩曰：中丞邀我出城邊，小隊戎裝結陣圓。投筆喜從為政後，揚鞭同到合圍先。雪欺獵馬寒生足，風掠饑鷹力入拳。不是承平貪校獵，為嚴武備靖烽煙。翌日，請示訓練之要。先生曰：練兵不易，凡平日所練，軍容軍聲而已。欲使人人有勇知方，非十餘年不可。其要首在選鋒，平時須擇年力强壯者置於左右，為延教習，令學兼技，越數日合操一次，每日派二、三人值班，與講忠義，察其才具、心術，然後酌用。平時分習，重在技藝精純，合操期於步伐齊整，不可偏廢。至陣法舊圖具在，但神而明之，存乎人耳。

大伾觀河

大伾觀河

大伾山在濬縣城東南，峭壁再成，巍然冲舉。東有大佛巖，就山爲像，高尋丈，北魏所鑿，以鎮黄河者。西爲三仙洞，康熙間邑令劉德新所開，接覆以殿，額曰乾元。其他有洪濛嶺、陽明洞、吏隱亭、小蓬萊諸勝。絕頂有青壇，志稱隋李密建以瞭敵。禹貢錐指謂，漢光武平王郎還，至黎陽築壇祭告，即此。今存石礎四，後人因以建臺。丁亥冬，余送凱兵過此，曾偕邑令朱韞山（名鳳森，廣西舉人，以嘉慶十八年守城功，加同知銜）同登其上。遥望禹蹟，所經，沙影茫茫。詢距滑城僅二十五里，因詳問當年守城事。製詩紀勝，詞曰：按部黎陽郡，公餘入翠微。松雲擁翠蓋，竹雪撲行衣。原野添寒色，樓臺得靜機。再成名雅稱，不受衆山圍。其一 石壁摩空起，層巒疊嶂開。亭空傳吏隱，徑險倩僧陪。遍歷三仙洞，還登八卦臺。浮邱山名容左挹，身已到蓬萊。其二 大河徙千載，故道認微茫。匝地霜華重，漫天沙氣黃。巖疆連白馬，浩劫問紅羊。指點袁曹壘，當年舊戰場。其三 能聲君早著，勝地我今攀。雪足三農樂，烽銷十載閒。城形嚴鎖鑰，水道亂彎環。須識同來意，非徒為看山。其四 因書以贈之。至是，朱轀

山將前詩同明王文成公守仁登山賦，同鑱石壁，

捐以相餉。祇覺珠玉在前，自慚形穢云。

藩署酬香

藩署酬香

河南布政司署，在老府門街東，本明藩仁和府。大堂規制壯麗，左為巨盈庫，右為土地祠。嘉慶辛酉，麟慶年十一歲，侍大父宦此，讀書於半野堂西偏。暇日，聞祠中籤靈，戲往一試。初探，得來心不誠，以為偶然。投之重探，又得是籤，仍不信。再投再探，得來心不誠，罰油二百觔籤，乃憬然退。時曾大母在堂，恐干慢神咎，弗敢告。會月朔，奉命拜祠，虔誠叩禱，探得第三十籤，內有復重過字。旋奉

大父諱北歸。至道光乙酉，重來豫省，時　楊海梁先
生官方伯，展謁日具道原委，請詣祠下。見輪奐新
飭，彤髹宛然。惟廟向已易南而西。翌日，獻油如數，
以償夙願。越五載，庚寅十二月初十日，奉
旨：河南布政使著林則徐補授，其未到任以前，著麟慶
署理。欽此。遵即謝
恩權篆。辛卯元旦，具公服入署拜祠，屈指辛酉至辛卯
正三十年，與籤數合。重過有驗，復字尚無著。既而
二月卸事，七月又
奏署。復字亦驗。踰歲擢黔藩，此任止於兩署，覺過字

更有精義，何其靈耶。有感斯通，於茲益信。

瀞園居士綸圖記

再至侍選

再至侍選

再至堂即河南按察司署東院正室，吾

母以曾侍宦居此，今又重來，故題是額。日以看書和

藥為清課。辛卯八月，選定正始集成，手自製序，每

錄一卷，親率女孫妙蓮保等逐字校讐，偶有疑義，

呼余參攷，稿凡屢易，始付剞劂。內子程孟梅恭撰

後跋。初，余於甲戌之夏，曾編輯吾

母舊作，刊紅香館詩草。

母見之曰：嗣後不必刊吾詩，可訪求閨中佳作，吾將

彙選刊行，以廣其傳。麟慶承命，採輯十五載，得詩

三千餘首，於己丑鈔呈。

毋病其繁，自加點定，以性情貞淑，音律和雅爲宗。凡不合女史之箴風人之旨者，弗錄。定集名曰國朝閨秀正始集，得二十卷。又彙題壁姓氏無攷及女冠、青樓人可節取者，爲附錄一卷。嗣又輯補遺一卷。共得詩一千七百餘首，計九百三十三人，人各爲傳，藉示表揚。統計前後凡十七年，始得告成，以故海内傳誦一時。能詩女史如潘虛白素心、王澹音韞徽、江蘇人 汪允莊端、浙江人 景清如玉、滿洲人 黄蘭雪香冰、江蘇人 陸費季齋湘于、浙江人 蔣琴香徽、江蘇人陸琇卿韻梅(江蘇人)、許芝仙瓊鶴(山東人)、潘仲華煥榮(湖北人)等數十人，爭製序題詞，郵寄投贈。翁繡君瑛(江蘇人)書閨閣人師額，席怡珊慧文(河南人)繪選詩圖，李月卿清輝(安徽人)繡自題小詩，以伸景仰。

潛虛述微圖言

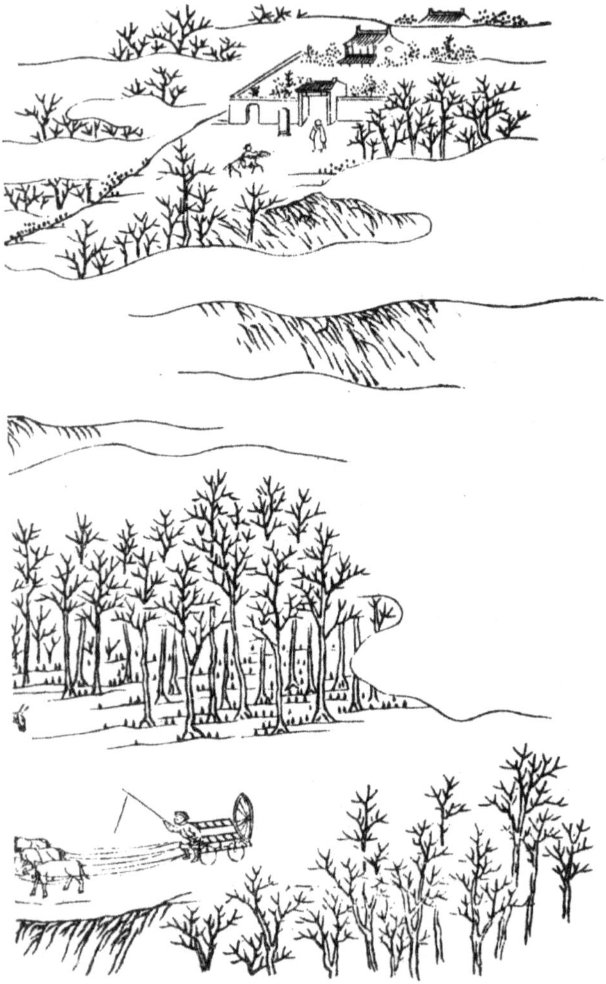

宴臺訪碑

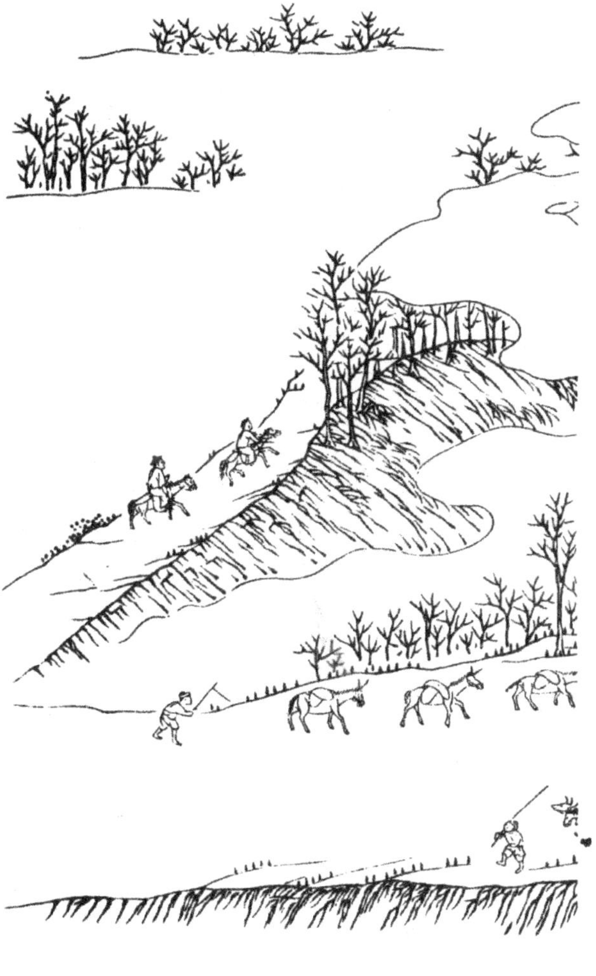

宴臺訪碑

宴臺在曹門外七里，本宋時迎春遊宴之所。今其後堤有廟，有碑，字不可識。劉子敬同年（名師陸，山西進士，時聘主大梁書院，後官道員。）博雅好古，聞而往訪。碑面刻明宣德時修廟記，碑陰用筆如楷，而難識別，因命工洗搨以歸，翫字攷證。惟翁樹培古泉彙攷中，載有金都統郎君修乾陵記，每字以兩三字合成，有如琴譜。又一碑，疑係其陰，字體稍異。伏、丟、日、月、升、光等字近是。己丑秋，攜以相質，曰：先生姓完顏，大金之裔也，識此否。對曰：某不識女直字，惟記金史太祖命完顏希尹製大字，於天輔三年頒行。熙宗天眷元年，又頒小字。皇統五年初，用御製小字云。越二載，辛卯秋九，送客宴臺，憶及此碑，易服而往。一路柿林芾蔭，點碧綴丹，秋色澹而豔，勝春色遠甚。且晚稼豐登，商歌於途，農嬉於野，爲之心神俱暢。至廟下馬，見碑在廟右。諦視其陰，額字曰：雋衵芭戊矢㚒伏丢臾仐阜臾，凡三行，行四字，碑文二十三行，字數不一。除日月二字，餘均不識。歸語子敬，子敬曰：前閱中州金石攷，內稱：一碑在宴臺河關王廟，類金郎君碑，顯係指此。但某曾對校，筆法不同。昨又閱癸辛雜識，云：汴學有女直進士題名，其字類漢，爰攷搨本，行數文義，均可意會，確是此碑。意當日碑面必有正書，惜為前人礱去。且查郎君碑，刻於金天會十二年，其時小字未頒，則彼為大字，此為小字，更無疑義。余聞之，益覺暢然。

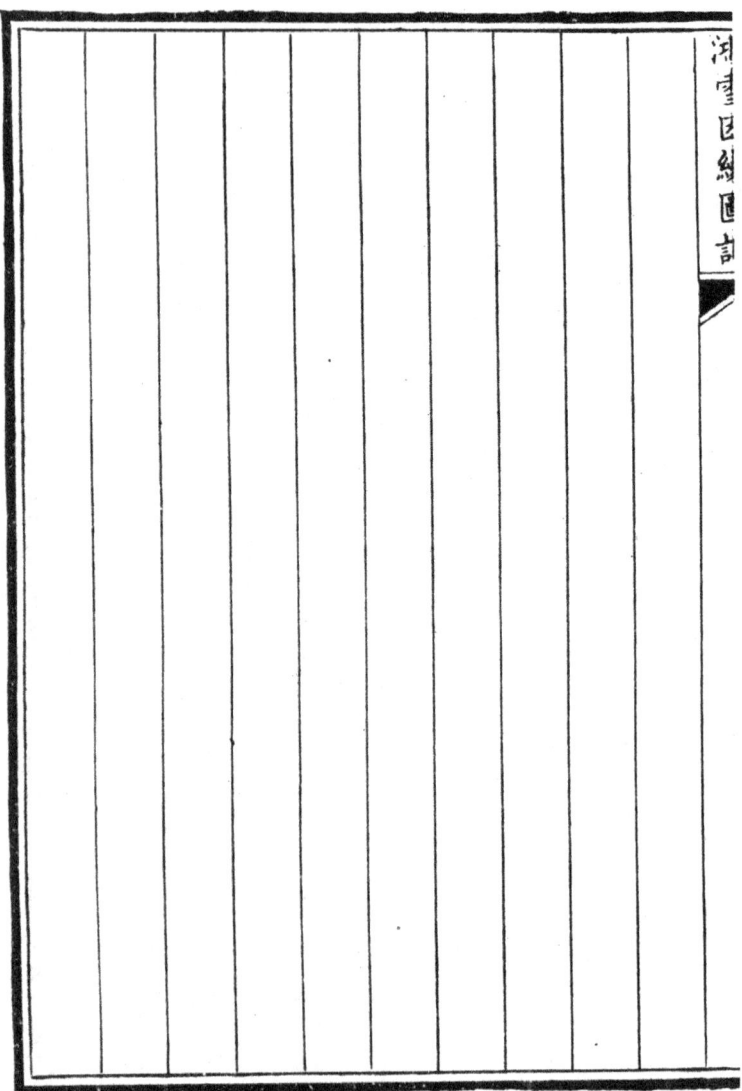

叙德書情

敘德書情

壬辰，麟慶年四十二歲。二月，奉

上諭：麟慶著補授貴州布政使，即赴新任，毋庸來京請

訓，欽此。遵即具摺謝

恩，交卸臬篆。將起行，豫中屬吏張莛公餞，款曲殷勤，鄒鍾泉進曰：某等感公教誨，無術攀留，敬撰詩文，敘德書情，容日彙呈。兹榮小圃（名譽，漢軍，拔貢，官知縣。）填詞，先獻一齣為公壽。乃進梨園子弟，尺簫寸板，竹肉相發，清音瀏亮，響徹雲霄，每度一字，緩板而歌。余細聆之，感愧弗遑。而僚友盛情，不容不紀。計曲十闋，

其詞曰：是中州福星移去早，怎留下禹咎繇，設祖帳的蟬聯子庶，盍朋簪的鵠立寅僚。看都染水比離深，問羅施山共天遥。布旬宣令，行風偃草，這其間王事賢勞。願得箇鋒車綏士女，抵多少霖雨沃枯焦。集賢賓 說金源家道里，近鳴珂麤能知曉。俺則見累葉豐貂，喜雲龍恰際遇

熙朝。博得箇利市襴衫換錦袍。問蕊榜誰年最小，是月卿風度，星使文才，天吏丰標。逍遥樂 曾記得

仁宗實錄擬神堯，淚盈盈史局挑燈工起草，應比那學士八甎難畫描。備

青宮又莅詞曹，在玉皇前，香案下，親珥筆，侍丹霄。上京馬總然有華國的詞章貴，也不抵便民的樂利饒。一時間恩旨重臣叨。持著這一節麾新出守，那壽春軍買牛賣刀，芍陂上太平謠，都化作懷音泮鴞。梧葉兒怪洪流決鄃子，度支卿籌障堡，一班兒淇泉竹盡作阿膠，說甚麽王景治河眞可靠。五年間豫安排堤埽，可知他心如白水，忠信涉波濤。醋葫蘆奇哉，東臬地趨庭侍厥考，羨文孫繩武擁干旄。早則見胥吏陳書青鬢老，都私說小名曾叫。可記得郎君頭上總角鬟雙鬟。（么篇）見了那紅鬍撚匪綠林的豪，便除莠安良律以重條。還則說贓汚自來豈一朝，莫不是竭盡脂膏，因此上六廉察吏加意恤征徭。（金菊香）兩年來，萑苻無盜，四境中，絃誦連郊。更虛堂明鏡頻相照，是西天佛執掌了法曹，早把他黑沈沈那些寃獄兒勾消。（柳葉兒）奉萱堂，承色笑，散官齋，抒麗藻，愛起居八座壽尤高。搜輯金閨羣彥稿，把新詩呵盡登梨棗。深感激，小人世毋舊句荷榮褒。（浪裏來）赤緊似捧

詔書使節移，望汴州車塵渺，眼對著黎蒙山色路迢迢。

料想得竹西人騎竹馬，那好高香敢則是前世燒
難禁的身親覆幬，縢下俺感恩屬吏歎美譜簫韶。
高過隨
調煞

椹澗望雲

湛澗望雲

余之授黔藩也，適湖南兩廣猺匪作亂，吾母以黔、粵接壤，地雜苗、猺，又當徵調多事之秋，促速行，並繪紅梅便面以賜，題曰：黔陽路七千，我老不能前。寫梅聊誌喜，願爾近高遷。麟慶受命，乃假張心階觀察寓館，留內子率兒女侍養汴垣，單騎起程。自紀以詩曰：無限難言事，登堂拜母時。祇因承鳳詔，不敢說烏私。潔養憑妻代，承歡喜女知。紅梅春色麗，賜扇荷深慈。行三日，過許州湛澗鎮。鎮為漢孝子蔡順故里。小憩祠中，詢知鎮人向以四月十五日祭賽，蓋取椹熟時耳。將行，適光州牧劉芾林（名蔭棠，貴州進士。）遣使奉書，言黔路險遠，往來所悉，似不可奉安輿行，敢請暫留，以待旌節北旋。某受知有素，願盡微忱。余感其眞摯，即同祠作書答謝。尋出鎮，過淇水橋，綠影扶疎，桑陰寂靜。遥望漢赤眉賊劉盆子廢寨，尚餘舊碑。行三十里，至襄城縣潁橋。橋即潁谷鄭封人潁考叔舊治也，亦有祠。因思霸業王圖，轉瞬俱成陳迹，惟此至性至情，立德不朽，感人最眞，千載下猶深景仰。因口占曰：有毋不能侍，王程迫此行。澗頭懷拾椹，谷口說遺羹。於此見眞孝，因之動至情。依依回首望，汴水白雲橫。

潜齋醫話圖訓

南陽訪舊

南陽訪舊

南陽府署，余始生之地也。七歲北上，壬辰二月重來，年已四十有二矣。殷東橋太守（名東鏞，直隸人，後官布政使。）舉聞余舊事，相邀入署，周尋童子時所見，忽忽若前日事。惟尚識老役姜文舉等。內有趙與魁者，言於乾隆戊申年，奉派至江蘇常州府
外大父家迎親事甚悉。太守喜甚，即推情點充頭役。又民婦李楊氏，余之乳母也，聞而率子孫來謁。余酧以百金，相與逆數昔時，已歷十四閏。余方仕宦奔走，不知再至復幾閏，即幸再至，又不知物凡幾

變也。因紀以詩曰：在昔辛亥春，戊子吾以降。舍館
大父前，侍宦滋培養。束髮親受書，提命戒勿曠。
祖德厚留詒，小子承靈貺。弱冠捷南宮，珥筆隨
天仗。館閣十五年，出守郡凡兩。七載駐中州，連擢晉廉
訪。今也復承
恩，鄆程經舊壤。太守喜相邀，入署春風盪。臺榭尚依然，
花樹仍無恙。老役聞余來，瞻拜笑相向。乳母聞余
來，攜孫神倍旺。不改少爺呼，爭說童時樣。卅載感
釣遊，頓覺塵懷暢。忽思
大父恩，風木悲悽愴。述德愧未能，奉職慚無狀。況茲

蒞黔中，風俗雜蠻瘴。行矣自勉旃，曷慰蒼生望。

元妙寻蕉

元妙尋蕉

元妙觀在南陽城北，元至正中建。其殿前有大父曉巖公德政碑。嘉慶元年，余偶遊觀中，適教匪周三野人等猝起焚掠，將及觀。有汪鍊師來燦者，坐余蕉心，覆之以葉，匪過送歸。大母索綽羅太夫人命拜汪為師，越今三十七年矣。壬辰三月朔，詣觀展謁，入門見松鶴依然，殿碑如舊。問汪師，已久歸道山。尋至蕉院，老蕉已枯，新蕉頗茂，因紀以詩曰：天開紫府影亭亭，小隊南行喜再經。野鶴不殊當日白，老松仍是舊時青。鍊丹人去蕉無主，述德碑高事有銘。欲訪兒童遊釣跡，雪泥鴻爪問仙靈。詩成小坐，殷東橋太守攜卷至，曰：公尋仙師，有尋人師者至矣。余展觀，乃裕州牧謝果亭同年（名興嶢，湖南進士，後官知府。）所寄師說也。略云：貢之為座主，吏之為府主，薦之為舉主，漢唐古例。後乃易以師稱，議者往往矯為非宜，某則以為其人恐非師資耳。魏昭謂郭林宗人師難得，張柬之推狄梁公人倫師表，果其可師，詎得矯之。某與公同舉京兆，後入詞館，於公為後輩。及宰中州，於公為屬吏。公雖仍以同年視某，而某則信公為師資，誠服

久矣。況舉主之恩，深於座主，座主知文，舉主知人，
感知己之恩，而禮緣義起，師之也宜。又遇師資之
人，師之也尤宜。師門既遠，某之所以紀去思者，非
猶夫人之共思也矣。

漢江曉渡

漢江曉渡

黄郵聚為豫楚交界，壬辰三月過之，得舊遊懷宛洛，新路入荆襄句。尋次湖北樊城鎮。鎮本周仲山甫封邑，今為水陸衝衢，前臨漢江，對岸襄陽郡城。至之日，適逢賽社，因紀以詩曰：嚴城一角枕江流，勝槩平連南雍州。闤市聲華原屬楚，分茅疆索尚稱周。車聲南北千方集，帆影東西兩岸投。最喜遺黎懷舊德，餳簫社鼓祀樊侯。翌辰，渡漢江。按：漢水在襄陽以西為西漢，沔水入之東為東漢，淯水會之，老龍堤亘於西南，鹿門山峙其東北，風景秀潤，較勝宛豫。南行過樂鄉原，望玉泉寺，叩虎牙關，瞻掇刀石，至荆州府，渡大江。十二宿孱陵驛。得家言，知余行七日，而陸心蘭方伯名言，浙江，進士。開缺，豫撫楊海梁先生具摺請

簡，並附片奏稱：河南財賦，甲於江北。政務殷繁，需員佐理。查麟慶才猷卓練，兩署藩司，精神四照，辦理裕如，吏民感服。本年二月，蒙

恩簡授貴州布政使，即日就道，計現在甫出豫境，可否調回，等語。奏上雖未得邀

俞允，而先生升公之雅，錫類之仁，僕何人斯，竟得謬許

知己也。

江東甘綺匯言

桃源問津

桃源問津

壬辰三月，行次湖南常德府，因驛路阻水，取道沅江，易舟行。曉過綠蘿山，頹巖蒙翠，秀色撲人。午泊纜船洲，即古桃花源，漁郎捨舟處也。時方春暮，夾岸若霞，尋秦人洞，封閉宛然。洞口有泉流出，因思記謂，劉子驥後無問津者。余今自南陽來，不竟為其續乎。爰登山謁靖節先生祠。有道士來迎，問以唐桃川宮、宋望仙閣故址及劉禹錫碑，均茫然不能對。惟侈言秦人不死，從者竟為所惑。余曉以記本寓言，蘇東坡亦曾辨。記中稱，先世避秦亂來此，著眼先世二字，則漁郎所見已是秦人子孫，其非不死可知，何況今日。乃尋徑下，見路旁有碑隱叢草中，爰命撥而觀之，正禹錫所書桃源佳致四字。喜而指示，道士亦欣然曰：今而後，可告遊人矣。余大笑，同舟自紀以詩曰：幼讀淵明記，臨風寄想賒。今來浮沅水，恰好問桃花。春色原無主，秦民或有家。漁郎迷洞口，誰復話桑麻。其一 笑我勞勞甚，韶華逝若流。十年三宦轍，萬事一漁舟。邨落繁雞犬，風塵走馬牛，仙源隨處是，不必此間求。其二

穿石窥光

穿石窺光

余既問津桃源矣，仍放舟行。沿路山水飛動，揭窗洞觀：一轉過簡家溪，清流橫注，寒碧浸人。再轉為舲經灘，水石潺湲，相激有聲。三轉至空舲峽，江水空濶，峽石三面臨江，突出諸峯上，根鋭而豐末，垂水如照影。中有圓洞，大逾闤闠，東西通達，行人往來其間，江水溢亦從中過，土人呼曰穿石，傳為漢伏波將軍馬援征蠻時鑿以避暑。余審觀之，無斧鑿痕，實天生奇境。爰命泊舟對岸，遥望洞中，遠山抹黛，近水縈青，如臨鏡面。俄而霧雨迷濛，儼若鏡中留影。既而風來霧散，斜照在峯，流雲閃閃，暮霞射水，冶波鱗鱗。自洞窺之，宛然圓光湧起，如日飈采，如月放華，匪夷所思。薄暮雲斂，素月點空，時方下弦，在天為半，自洞窺之，在水則圓，不禁狂喜。從者聚觀，咸以為異。固或謂穿石若易圓為方，或改圓成尖，當必另有可觀。且有以石洞皆圓為怪者。余曉以天體至圓，故生其中者，俱肖其體。懸象莫大於日月，以至人之耳目手足，物之毛羽，樹之花實，土得雨而成丸，水得雨而成泡，凡自然者皆圓，其方者、尖者，皆人力所為，即至四時寒暑，萬卉榮枯，家道興衰，人身老少，循環相因，無一不然，是正太極渾含造化之妙，圓之時義大矣哉。

湘雪巵緫圖言

明月證經

明月證經

明月匯、甕子洞，均在桃花源南沅陵縣境。漢書應劭注：沅水出牂牱。魏酈道元水經注：沅水過臨沅縣西為明月池、白壁灣。灣狀半月，清潭鏡澈，上則風籟空傳，下則泉響不斷，行者莫不擁檝嬉遊，徘徊愛玩。東歷三石澗，鼎足均跱，秀若削成。又東帶綠蘿山合壽溪注洞庭湖。一統志：明月山在沅陵縣東，下有池。又甕子洞亦在縣東，形如甕，水流洄洑，舟行甚險。又倒水巖在甕子灘上，即水經注三石澗。壬辰春，行抵是灘，見雙崖夾峙，中闢若門，溜如懸瀑，有船順流而下。余船觸浪而上，水怒欲飛。幸緣崖有遲觀察日豫所置鐵絚，榜人齊負百丈，援之而行，腰膂盡僂，幾與地平，始得尺寸進。顧喁于唱和，意頗自得。因紀以詩曰：到此天俱小，灘高欲上遲。兩崖石作甕，千丈鐵牽絲。水瀉如壺注，舟來似箭馳。相逢休健羨，會有放流時。過灘見石屋二，既整且潔，土人指為漁仙屋。西行，泊明月匯，則見高峯入雲，寒松倒挂，飛泉溜玉，畫壁浮青。懸崖斷處，有天然石橋接之。其巔有亭，有菴，迥出塵境，覺酈經所載，尚未足盡其妙。又紀以詩曰：半灣明月匯江瀾，仙闕臨空說廣寒。百尺橋飛虹掩映，五溪環抱水團圞。對山帆影眞如畫，隔浦漁歌正上灘。我欲乘風凌絕頂，一聲長嘯彩雲端。

玉屏問俗

玉屏問俗

貴州古梁州南服地。戰國隸於楚，漢分隸牂牁、犍為、武陵三郡，荊、益二州。唐隸黔中、荊南二道。晉天福時附於楚。宋隸荊湖、劔南東西路。至元始有今名。前明永樂間設布政司，我

朝因之。地最險僻，俗雜苗蠻，旬宣任重，麟慶奉

命承乏，深懼弗克負荷。一路疇咨博訪，期得從俗為治。

壬辰四月，入貴州玉屏縣境，本平溪衛，雍正五年改縣，以東有玉屏山，定今名。山石純白，磊落參差，宛如卷帙，土人呼為萬卷書巖。巖旁有峯，紛披若

蓮瓣，俗稱筆架。有坪淨拭如紙，有潭深靛如墨，暗合四寶。又有天馬、飛鳳二山，昂首入雲，張翼向日，直與叢篠交青，清溪合翠，舟泊其下，花鳥俱新奇可玩。俄而苗民來集，伾伾然如野鹿，指舫對語，侏離不解。乃命榜人詢以近事，黠者惟侈陳蚺蛇吞象，箭猪射人，樸者自言水大，操舟為業，近巳涸復，二麥有秋，草衣木食，意殊欣欣。余聞之喜，因紀以詩曰：曉來鼓枻玉屏東，黔地山川到眼中。一線溪流千萬轉，四民言語兩三通。鈎輈犵鳥如相識，躑躅蠻花任意紅。我欲乘時宣帝澤，自慚無術起哀鴻。

相見叱馭

相見吒馭

鎮遠府爲滇黔門戶，一水中通，萬峯環繞，凡自五溪來者，至此登陸。余抵郡，適黔撫　嵩曼士先生名溥，滿洲，蔭生，今官將軍。遣弁來迎，并移稱，奏請
陛見，奉
旨：俟麟慶到任，交印接護等語。麟慶自維疏陋，又值楚粵猺匪未靖，邊防孔亟，謹具禀，乞先生暫緩，即日易輿起行。鎮道款留，余不可。遙望前途，峯巒攢簇，如幢蓋迎客。行五里，抵文德關，舊名油榨，勢甚陡峻，輿夫揮汗如雨，余擬易馬。呂泗如太守名紹賢，順天，舉

人。以敬事須敬身為言，乃止。或又以路滑最險，請掩帷而行。余不可。適偏橋土司率熟苗跪迎道左，以繩繫輿，爭為負引。苗皆撮髻穿耳，疑女實男。並有植白羽於鬢左者，詢知為苗童未婚之飾。自是升則負繩而趨前，降則弛繩而援末。升常數倍於降。其負物不用肩，以二木交叉，荷於項而繫以繩。徒跣善走，立則支拄。比近偏橋，有嶺曰相見坡。坡凡三重，中阻大溪，行旅沿路盤旋，蠕蠕如蟻行磨上，爰陟首坡則尾坡見，至尾坡迴矚則首坡見，立中坡前後望，則首尾皆見。且此以手招，彼以口應，儼在咫尺，而已三十里之遥。詢之汛弁，知昔憂伏莽，今成坦途。又見有取水具，以大竹為之，接筍插合，隨山勢為起伏，可取澗水逆流上山，至數十丈，實有巧思。詢名連筒。抵任後，會石阡有患山高無水者，以此法頒示，民皆稱便。

茂堂田總圖言

雲頂踏雲

雲頂踏雲

雲頂關在龍里縣東二十里，即古隴聳關廢址。西有塘曰龍從，有哨曰巃嵸，名同字異，為由鎮遠至省最高處。時余方兼程前進，過大風洞，渡重安江，踰楊老坡，經馬桑冲，驛路如鳥道一線，晝行已多戒心，夜則箐密林陰，月色明暗相半，虎氣魈光，駭人聞見。仰視星斗，芒大於常，舉手若可摘。倘遇夜深月朗，則又高寒清肅，人如負冰。一日，曉行至新安堡，都司虎正川（四川解元。）迎謁曰：前即雲頂關，請為導。余亦易馬隨之，穿雲而上，纔又穿雲而下，忽升忽降，出入雲中。比至關，俯視白雲，浩如湖海，諸山縹緲，如蓬壺隨風上下。乃立馬關前，四望曠朗，俄見風擁雲飛，後雲追前雲不及，遂失隊。萬雲乘罅繞山左飛，飛盡團聚，凝處若脂。其上日華烘染，異彩晶瑩，雲時開時合，開則僕從可數，合則巖壑皆隱。已而，團絮湧綿，鋪滿足底，迴望數百里，蒼茫無際。因口占一絕句云：仰視天無雲，俯視雲在足。雲山莽萬重，不辨來時路。乃盤馬謹轡而下。因思人

每好遊，侈談雲月，而余以

王事，日馳驟於萬峯之巔，踏雲玩月，不且眼界增新，詩

脾益壯哉。

黔靈驗泉

黔靈驗泉

貴州跬步皆山，土石半作鐵色，故以黔名。貴陽為省會地，風景差勝。惟天以陰雨而號漏地，以高寒而多雹，苗民患之，呼曰硬雨。余受篆後，訪知黔靈山頂有

雹神祠，蠲吉致祭。乃出郭，屏儀仗，策馬隨石磴盤折而上。夾道長松掩映，山腰有亭曰亦雲棲，四圍修竹茂密。是月也，竹方脫節，松正生花，雨蒸日炙，香氣逼人。仰望峯頂，有寺聳翠流丹，别饒靈境。詣祠展拜，取聲於竹，取蔭於松，第聞樵斧丁丁，與澗谷

相應答。時貴筑尉張書常（浙江生員），侍行，因言山後有泉，志稱靈聖，晝夜百盈，似有橐籥。前明鎮遠侯顧成甃石為池，中立石誌，以驗消長。田山薑中丞（名雯，山東，進士，康熙時官巡撫，多惠政。）名曰扁趵。余即同至其地，則見泉出石罅，匯為方池，輕風徐來，波鱗微動。爰坐池上，以所攜銅晷測日影，又布錢池中驗水痕。靜觀一時，盈縮八次有幾，計盡晝夜凡百度，正如銀箭之壺日百刻也。因思漳浦潮泉通海為潮汐，金華月泉視月為盈虧，安定之泉一日三溢，連州之泉終朝十竭，孰若茲以百為度，數得其盈，直通呼吸自然之妙。乃命道士拾枯枝然火，汲泉自煮，候蟹眼，聽松濤，呼張尉共飲之。

甲秀賞秋

甲秀賞秋

甲秀樓在南明河鰲頭磯上，明江中丞東之建，我朝田山薑先生重修，以振文教。樓前有鄂文端、勤威勤二公鄂諱爾泰，勤諱保，均滿洲人，雍正、嘉慶間，先後官總督，有平苗功。所立鐵柱各一，以誌武功。北有橋曰霽虹，東有潭曰涵碧，左武侯祠，右翠微閣，為黔中山水佳處。壬辰八月既望，幕客劉敘堂名秉彝，湖南，貢生。江啟同名會，江蘇，監生。邀余微服同往，雖高甍畫棟，無復舊觀，而微雲澹月，芳草明沙，足供游泳。乃坐翠微閣上，遙望橋頭，遊人三五，錯落掩映。既而月色甚美，風露浩然，有苗童拍手高歌，詞曰：花錦纏腰布裏頭，月明風響四山秋。下來千尺商訛（放牛也）道，固麥（喫飯也）阿交（飲酒也）得自由。其一唇下蘆鳴月下跳，搖鈴一隊女妖嬈。阿蒙（母也）阿罷（父也）門前立，果瓮（行役也）人來路不遙。聆而繹之，饒有滄浪雅意。旋聞人聲鼎沸，橋上珠燈成隊，鼓吹前導，中結綵亭，後一豔妝婦人，負小兒隨之，羣呼曰：懶大嫂來矣。敘堂曰：此送瓜也。黔俗，女伴於秋夜出遊，在瓜田摘瓜攜歸，取宜男兆，名曰摸秋。凡無子者，親友於中秋送瓜，蓋以多子相祝。其儀文則視貧富為豐儉焉。因紀以詩曰：甲秀樓前秋色清，相邀喜對月華明。送瓜人過花留影，攀桂風來樹有聲。悟徹氷壺無罣礙，笑看鐵柱說勳名。浮沈宦海年年事，那得中秋作此行。

消夏臣續四詩

翠屏放牛

翠屏放牛

貴州布政司署在翠屏山麓，自門至堂凡七重，因山勢為之，愈後愈高。中有紫薇堂。壬辰九月，十有二日晚，有牛自外來，伏堂下，若奔訴狀。閽者以告，余命引之入，牛搖尾乞憐。尋飭役訪，係苗人蔡姓屠牛為業，是日，又將鼓刀，牛脱靮而逸，竟投轅下。爰召苗人重責而償其值，戒勿宰，放牛翠屏山。翌午，郎生蘇門來，請牽牛而圖之，并繫以詩曰：紫薇高高月上初，晚衙放罷公事無。見亭先生坐擁書，閽者突進胡為乎。若驚若喜口囁嚅，謂有牛陟堂之隅。畏首畏尾身幾餘，其形觳觫情莫輸。先生往視三歎吁，欲問牛喘徒踟躕。今世苦無介葛盧，牛兮牛兮將何如。翌日訪之四達衢，知牛來自東門屠。牛刀將試牛何辜，長繩繫鼻災剝膚。猛然一遁風雲徂，先生澤及白骨枯。仁民愛物良非誣，牛知來此網羅除。入門如奉門關符，屠門失牛屠號呼。牛值十貫青銅蚨，此牛入官其如吾。先生薄責鞭以蒲，命償以價值其沽。為牛求牧兼求芻，誰飯牛者長鬚奴。爾牧來思牛待餔，翠屏山下皆平蕪。青青細草如茵鋪，令牛體肥秕與稃。牛皤其腹牧挈壺，時聞短笛吹烏烏。

水口桼燈

水口參燈

南明河，上源來自定番州，下游通烏江入蜀。其在貴陽城東南二里會富水處為牛渡河，俗稱水口。東岸有山、有寺，有洞，洞曰仙燈，中有黃白紅黑四景，發燄生光。然遊人往往不得見，見者大吉。土人奚婆，苗巫也，競傳奇異。余公餘之暇，乘輿偕吳生保之名德溶，湖南人。往觀。則見鳴泉曳練，沓嶂連墉。河邊一石長丈餘，宛若孤舟野泊。詢其名，曰船石。惜泐痕中斷，為震雷所擊。云洞在山嶺，勢極陡，人不可登。遥望無所見。俄而，遠山雲起，頃刻即合，惺鬆雨上，周匝諸山，絕好米家畫本。尋又霡霂盡化為毛，已而風卷雲散，夕陽在山。余出寺將行，登石船瞻眺，保之指曰：仙燈現矣。余諦視之，見光在洞内，閃爍發睒，雲影外霏搖曳不定，近處紅黃作暈，遠處黑白漸分，不可思議。既而悟山勢西向，落照正射，故紅，相近漸黃，近黃者光減為白，幽邃者光阻而黑。其洞中稍凹，而能聚光處又得斜日流輝，飛雲度影，雲影微動，即閃金光。蓋峯靜雲動，又隨日之遠近、斜正，而色因以變，幻境生焉。因問寺僧，朝晴夜月，見仙燈否，僧對未見。余益信所悟尚得至理。

黔疆閱武

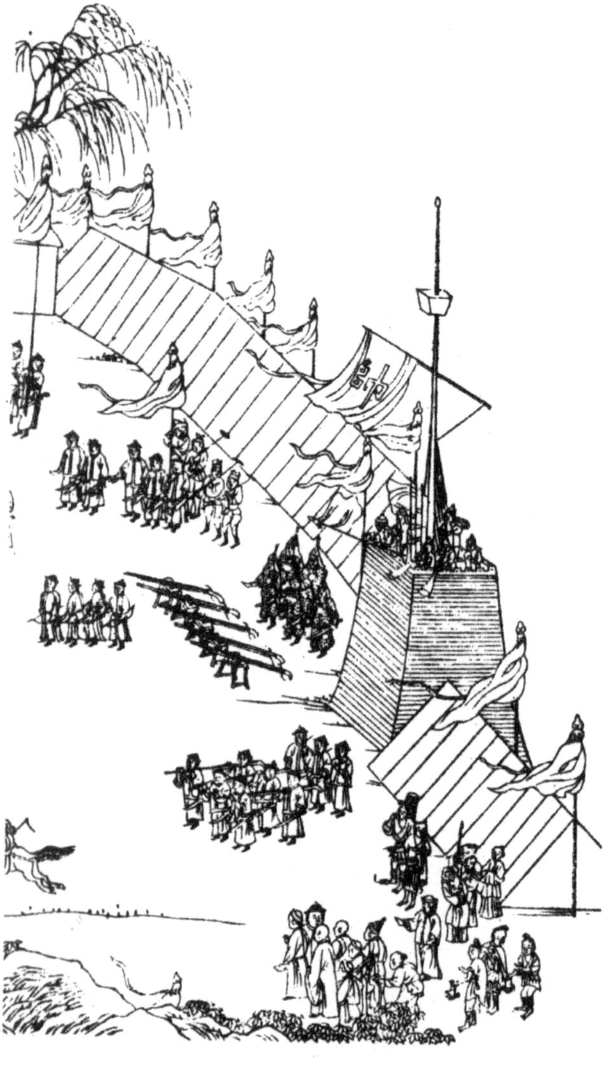

黔疆閱武

貴州大校場，在城西南里許，即前明傅友德獅峯將臺也。壬辰秋闈九月，嵩曼士先生移文撫篆，謹接護視事。十月例開武闈，奉
命典試。按日校閱，得士程安邦等如額。十一月，合閱三營陣式，將弁技藝。旌旗耀日，笳鼓震天，棼女番童，縱觀如堵。尋於十七日丑刻，接初七日申刻
廷寄，知係警報，計程七千六百餘里，行止九日零，異常迅速。即起披衣拆視，奉
旨：福建臺灣府嘉義縣匪徒滋事，現派瑚松額前往勦

辦，著麟慶、唐文淑挑選貴州兵五百名，派張必祿、馬貴帶往。欽此。隨連夜草檄，發令移行唐提督（廣西人）各赴校場，在征猺凱旋兵內選備弁四十四員，兵五百名，擡礮十尊，交清江協副將張必祿（四川，行伍，後官提督。）松桃右營遊擊馬貴（貴州，義勇，今官副將。）管帶，即日循例發給俸賞，又援案加行裝銀，勒限起程。並因驛路赴閩，例由湖南、湖北、江西陸路紆折，中隔江湖，恐有稽遲。查乾隆五十二年，臺灣逆匪林爽文作亂，調兵係由三角坣經兩廣水路順流直下，且可休息兵力，節省經費，一面奏聞，一面飛咨粵省照辦。黔兵果首先抵海。余按：黔中奇峯插天，勢極雄秀，間氣鍾之，人亦類然。况營制防維四鎮十協，簡練精鋭，故從前每遇徵調，斬馘搴旗，輒爲綠營冠焉。

獅巖趺坐

獅巖趺坐

貴山爲省城主峯，上建書院。城分南北，形如環，繞城皆山，形神各肖。俗傳五虎、三獅、一鳳凰。余按月赴院課士，見文筆犀利而腹笥闕如，爰將所攜十一經置院勸讀。又因民貧重利，爭植罌粟，煎芙蓉土，甘犯例禁。出示曉諭禁止，并訪得豪衿、劣生、院書、府差，包攬種販。指名捕治得八十九人，論如律。

奏免各官失察處分，得

旨所辦甚屬認真，著依議行。欽此。故余示諸生，有勸學須分書帶草，課耕休種米囊花句。米囊卽罌粟別名。詢知秋植、冬分、春苞、夏採。臘月正秧苗出土之時，最易踏勘。爰於壬辰臘八日，詣扶風山拜佛，啜桃花粥畢，易服攜二升，邀山僧慧先同循苗寨。過雙獅山，見大小對峙，中隔溪橋。小獅伏坐，作仰望狀，項湊圓石如鈴。大獅昂首隆準，兩洞深綠如晴。近巔巖折為口，石齒廉鍔，欲吞未合，令人懍然。澗水湍激，觸石作吼。因偕慧先登大獅之頂，見諸山如馴犀伏象，人家四五，依山臨水而屋，晻罨蒼林繡壑間，俯視虎耳、龍鬚諸草，新茁如茵。余藉草趺坐。慧先曰：公今登狻猊座矣，余不答。少遲，晚霞捧日，又曰：如來現大光明為公壽矣，仍不答。但覺天風颼颼，山雲浮浮，溪水悠悠，物我兩忘，疑非血肉之軀所能到。

済畫巨緣引言

苗猓獻忱

苗猓獻忱

貴州本苗疆，白花青紅黑各別所衣以色。此外，狗耳馬鐙以飾名，狆龍韋謝以姓名，坡溪箐洞以地名，其他如犭羊獷、紫薑、郎慈、雅雀，種類不一，僰、番、犵狫、猓玀、狑獞，風俗略同。歷代掌以土司，

國朝因之。嗣因叛亂勦除，今尚存文土司十三員，武土司及土弁、土舍一百八十員，隸布政司管轄。惟是生齒日繁，山多田少，而開墾定例水田不及一畝，旱田不及二畝，方免升科。較之滇、粵為嚴。且夾砂帶石，工本多費，一經墾熟，書差刁難，不勘不丈。

更有鄉保包荒、衿棍霸荒等弊。人皆畏難，田多不治。溯查十七年來，報升條編銀僅三兩，徵糧止六斗零，謹比例懇請永免升科。蒙

恩允行。又因生苗近漸丕變，查舉孝子二名：宣噶、蓄髮苗賈香，紫薑苗節婦三口：扁拾、黑苗禾落及媳曰噶。紫薑苗并查出嘉慶二年興義府殉難士民、良苗一千六百十七名，未荷旌揚，開列事實具題。得

旨。建坊旌表。隨即謄黃曉示。苗民感戴

皇仁，爭思向化。時余仍寓藩署，會歲除，土司遣慕魁猓玀頭目獻萬年青，打牙犵狫獻白雉，苗人獻鹿獺各一，

爰命巡捕官魏應敎貴州武舉，善辭。優賚附近苗寨，長裙短裙各苗婦，均來集觀。土人僉言，向所罕見。按：打牙犵狫，其俗女將嫁，先翦前後髮，取齊眉意。并敲去門牙二，古所謂鑿齒之民也。

法雲因緣圖書

扶風春餞

扶風春餞

癸巳，麟慶年四十三歲，接准部咨，正月奉
上諭：湖北巡撫著麟慶補授，欽此。謹卽具摺謝
恩，請
覲。卸篆，擇吉起行。先期幕客駱曙霞（名邦煜，浙江人），江啟同、劉敘堂率其子作櫟（生員）置酒扶風山相餞。適逢黑神廟落成，余獻楹帖云：長君有三州惠政，父在斯爲之子；大將以一指精忠，民無能名曰神。蓋神本唐南公霽雲公子承嗣官涪、施、婺三州，民思之，故祀其父焉。禮成，詣扶風雲路坊，則諸客偕僧慧

先相待久矣，亟揖謝。同行看孔雀開屏，金翠奪目。客言山本荒僻，慧先自川中來，經營三十年，樓殿臺榭因山取勢，雜植花木，工於位置，而妙於掩映，竟成巨觀。且建塔以收遺骸，作塚而受字紙，更得大慈氏精意。余思若慧先及諸客，果就世用，必能建立功業，所惜竟鏟采埋光於此也。因剖橘為杯，三飲三盡，卽賦贈曰：欲別難為別，良朋喜見招。移樽當水口，選勝過山腰。蹤跡隨緣合，情懷借酒澆。楚黔原咫尺，後會豈云遙。又慧公房題壁曰：支遁巖棲處，偷閒喜再經。峯圖螺作髻，春暖雀開屏。世法如雲掃，山光放眼青。來朝理行策，半日暫留停。

轍卧雲圖

圖雲卧轍

圖雲關在城南，上有萬里封侯坊，為果勇侯楊芳銅仁，行伍，官提督，以平定逆回張格爾功得封。建。癸巳三月二日起節，旌旗前導，映日排雲，卻顧八騶，爽然自失。抵關，有肄業諸生陳巽等，峩冠博帶，拱立道右，獻詩一軸。峒丁苗民，花罽毳衣，匍伏道左。耆苗阿乜，頭頂椰瓢，貯酒以進，余取而飲之，以詩留別。曰：杏花風裏客登程，多少儒冠阻我行。峒錦裝成詩一卷，椰瓢貯滿酒三觥。陽明學業龍場驛，諸葛勳名銅鼓營。勝蹟長留宜景仰，休將別淚向予傾。過關，吳生蘭雪名嵩梁，江西，舉人，時官黔西州。馳送一詩。曰：吾師開藩未經歲，權領中丞方五月。一聞旌旆移武昌，萬姓感恩惟卧轍。黔中地瘠民憂貧，火耨刀耕劇苦辛。十七年徵六十畝，墾荒雖勤利烏有。師為請命功最多，不論頃畝無升科。比屋歡騰五袴歌。黎峩逆苗昔滋事，士女捐軀爭赴義。師搜幽隱發奇馨，千五百人同入祀，至今毅魄猶生氣。八萬硐屬皆生苗，涵泳

聖澤歸天朝。孝有二子節三婦，表以綽楔至行昭。服師之教俗不佻，桀驁舊習應潛消。名宦鄉賢例有祠，

劉公（名清，貴州舉人，官山東布政使，改總兵官。）文武能兼資。五千精銳破賊奇，一錢不愛當宁知。郡守陳（名玉璧，山東，廕生，乾隆初，官遵義知府，教民種桑。）及吏目徐（名階平，浙江，吏員，乾隆初，官正安州吏目，教民織繭。）種橡育蠶生計滋。銀釵擊鼓蘆笙吹，百年愛戴民不私。豈以官秩論崇卑，師所表章類如此，經世持世可知矣。論文每拔高才生，俊遊偏愛佳山水。溯由館閣臻封圻，惟奉慈母為嚴師。大節克完在忠孝，正始匪獨傳風詩。平生讀書慕循吏，但竊詩名吾亦愧。八座何當侍起居，一家先許收文字。昨日華堂稱壽觥，讀詩讀畫總心傾。願騎黃鶴驂雲去，一聽梅花玉笛聲。

牟珠探洞

牟珠探洞

余之過圖雲關也，騶從擁導，旌旆飛揚，南風如薰，有清涼而無塵土。僚吏軍民，攀援相送，辭之不止。晚宿龍里縣，翌辰，謝客早行。聞有牟珠洞，本名馮虛，洞中景最奇麗，決意往遊。薄午抵鳳山麓，遥望洞高數仞，洞左有水自山半下，與洞中水合流入澗，聲若雷鳴而近，覓洞口不可得。祇見石屏灑青抹綠，尋屏右轉，谽谺忽裂，不知為何年所鑿，且有石横其上，若門楣然。俯視洞内暗甚，僧燃松炬相引，入稍定，天窗漏光，見石乳凝結成柱，圓直下垂，瓏透漾麗，若龕若塔，絕妙鬼工。柱後上有大竅，老樹婆娑，舞影落洞中，光明四射，見漫空乳溜作花，若刻若鏤，巨者、么者、長者、平者、縮者、銳者、菡萏者、螺旋者，一一倒懸。西有重門，入門光暗，僧以炬指鐘鼓木魚，扣之其聲切肖。忽一瘦石森立如奇鬼，依石內轉，幽深莫測。僧乃加炬就壁，余諦視之，左為童子拜觀音，形神如繪。右為羅漢等像，或倚巖舞袖，或踞石跏趺，或盤若虬龍，或蹲為獅象，似動似躍，奇詭難狀。有蝙蝠大於扇，聞人聲驚撲，上下盤旋舞炬光中。俄聞有鐘磬聲，又見數十步外有數炬奪目，正切驚疑，僧言前有坎巉，洞中流水，匯為潭，始悟巖乳滴潭中作響，潭水映火發光耳。漸行漸濕，不可往，遂不敢往。

飛雲攬勝

飛雲攬勝

飛雲巖，在黃平州東二十里，山勢嶙峋，堆青絢綠，行人豔稱。余初自鎮遠赴省，遥望巖倚山半，勢若垂天之雲。巖右有寺，問名月潭。巖左有泉，瀉瓶直下，不雲而雨，心切嚮往。祇以簡書期迫，未敢暫留。越歲三月，自省東行，一路看山玩水，如理熟書，或記憶或不記憶，而茲巖則時懸心目間。比抵黃平，張雪樓太守（名光鄂，湖北，貢生。）來迎，請治具月潭寺相待。會王生竹町（名存成，奉天，舉人，官知縣，後晉知州。）自甕安來送，同集寺中。余到，即先詣巖下。潭澄壁立，垂藤挂蘚，前有

古柏，蒼翠蒙翳。相與陟石磴而登，有洞大於數十間屋，石形詭譎，雲影繽紛，是石是雲，種種不可思議。有玉乳凝作

大士像，面如滿月，頭總一髻，惜為近人飾以金碧，反失天然妙相。左有鸚鵡石，延頸伸喙，儼然玉琢。右有石瓶，瓶中有草，一莖六葉，春長夏枯，枯不改色。又折而右，下有石蟒，矯首以升，若出其爪、睅其目、作其鱗之而以從風雨。余諦視，蓋石子黏乳，碎砌成鱗，直疑其為眞龍矣。巖前陡絕，以欄為遮。欄外三峯拱立，高不及巖，中峯突起，聖果亭翼然臨於

其上。亭内勒王陽明先生月潭寺記，差足生色。其他俗字惡詩，朱書白榜，卷石被污，恨不以飛泉洗之。比讀壁間詩，至前人安得鬼斧利，一為洗瘢垢句，更覺實獲我心。

渭塘奇遇記

西山鼓棹

酉山鼓棹

余抵鎮遠，仍取道五溪。舟行二十里，至武定塘。有灘曰大王，奔流漩激，山根震動，殷雷飛雪，餘沫濺入船中，猶如瀑雨。前後語不相聞，篙人舉手以示左右，持舵者曲折摩戛石罅間，時恐碎舟。稍前為二王灘，險相亞。會有以巨鯉來獻者，目動鱗張，余急縱之，圉圉洋洋，回顧者再。晚宿焦溪，雷雨徹夜。辰起解維，溪流暴漲，舟行若駛，日三四百里。一路著名巨灘，如九鼠磨鈎、猛虎跳澗、銅槽鐵梘、黃猴巖、滿天星、大小鸕鷀、黃絲滾洞，舊時眙愕趑趄不敢徑上者，今俱順流而下。比抵湖南辰溪縣，見辰沅合流，山城如畫。對岸峭壁插江，玲瓏多洞，厥名酉山，即道書所謂第二十六華妙洞天也。洞二，瀕江者曰鐘鼓，在山者曰華妙。入洞里許，曠然平沙。再進，有石室，相傳為穆天子藏書處。山腰有會仙橋、鍊丹池、高蹈祠、逍遙堂諸古蹟。山又名丹，以產丹砂故名。會水漲不可停，因至蛾眉灣泊焉。爰以詩紀行，曰：篷索全無用，乘流得大觀。千花翻急浪，一葉下驚湍。路記來時險，江看此日寬。巨魚欣得水，為我報平安。其一東行三百里，暮色已蒼然。酉穴

藏書地，辰溪罨畫天。洞中還有洞，仙外豈無仙。為愛船頭月，高吟夜不眠。其二

機巖志異

機巖志異

蛾眉灣在浦市，遠山一抹，淡若輕蛾，江月徐升，宛然冰鏡。余擕小几坐船頭玩月，忽一官具衣冠進謁，伏地請來遲罪。命之起，乃内閣供事孫鳳枝（順天人，時署通判。）也。命之坐，强而後可。因與談閣中舊事，如在目前，而僂數舊人則已晨星落落矣。慰藉久之，月午始退。早行入瀘溪縣境，過機巖。巖高百仞，有竇八九，霞壁砑開，木版亂插，外隘中宏，羅列竈具、陶器、織機，皆日用所需，土人謂為仙人屋。巖半微凹處，度一小舟，約長丈許，土人謂為沈香船。其下巉巖如削，壁臨絶壑，忽闢石門，雙扉靜闔，從門隙窺之，神光離合，非金似金，泉流激響，出自洞中，土人謂爲響水洞。迤東辛女巖，凌波獨立，馬嘴巖，引領朝陽。其上木篠縱横，匽匣層累，亦與機巖相類，但目能睹而足不能到，且四壁陡峻，梯磴綆梁均無所施，竟不知何以置此。或云，自昔苗亂，土人從崖上倒縋，藏弃衣物，抑豈上世道阻川壅，夷落所居耶。又，沅陵境碣灘東巖有樹倒垂，上懸壺一。土人謂回道人所挂，隨風摇曳，歲久不朽，其理尤不可測，志異而已。爰續前作，紀之以詩，曰：昨夜蛾眉

月，煙波分外清。今朝沅陵水，宛在鏡中行。古樹壺誰挂，沈香船尚横。榜人說仙蹟，一一問分明。其三

測靈因總圖書

清浪下灘

清浪下灘

清浪灘在沅陵縣東，壺頭山下。亂石攢空，驚濤搏岸，旁有電洲，雷洞，為沅江最險處。灘上有伏波大王廟，祀漢馬公援，蓋公征五溪蠻時，駐兵此地。思鄉作歌，其客爰寄生吹笛和之。今雖

聖世承平，瘴癘大減，而江山之險如故。余至，入廟拜謁。僧言：辰有雙鴉集殿檻，鳴向内，已受

神命送行矣。余漫應之。尋立巖頭覲，乘舟下灘，果見一鴉飛止桅上，一鴉隨副舟飛噪。將入灘，舟子刑牲裂紙，在舟首望祀。前置大木，狀如偃月刀，長丈

五六，其名曰招。一人操之，衝濤劈石而過，舟穿浪腹，出深潭，即閣招而楫。抵廟前，石既交錯，浪益洶湧，篙楫遞施，盤旋避險，一篙誤著石隙，急不可拔，即棄去。過廟，流稍緩，余謝

神登舟。東過桃源洞，山水有情，如逢故我。迴望西南，峯巒萬疊，青接霄漢，煙雲縹緲，皆昔日所經。計自鎮遠至常德，歷思、沅、辰三府，水驛二十四程，行僅九日。爰續前三作，又紀以詩，曰：飛鳥不能渡，伏波將軍歌中句。余偏來往經。浪喧千石立，風起一江腥。淫毒今消盡，帆檣那得停。倩誰三弄笛，吹與老龍聽。其四

桃花原有約，今我喜重來。漫鼓漁郎棹，還捫遷客碑。灘聲前路靜，山影此間開。不盡滄洲意，淩波獨溯洄。其五

風信楝花柔，溪頭記放舟。已經三府境，直作一旬遊。屈指梅逢夏，十七立夏關心麥報秋。黔山千萬疊，回首翠煙浮。其六

流花汪湖

流花泛湖

流花口在湖南武陵縣東，由小河口分流，通華容港、焦圻河，以達荊江，可避洞庭之險。癸巳三月，余抵武陵，會山水陡發，大龍驛路阻不通，乃乘舟，取道流花口，沿青草湖北行。目力所際，波遥似岸，淪漣泱漭，浴碧涵蒼。近岸處辛蒲翦翦，扇荷田田。維舟柳陰，但聞蛙閣閣鳴若吠，遥望新洲高岸，人家三五，不成邨落，蕭寂殊甚。捕魚者一人，持網立水中，一人騎水牛繞湖驅魚。水甚深，牛僅露鼻與脊，而人在牛背，浮沈自若，頗有逸趣。比放舟中流，忽有魚躍起丈餘，咸以為異。按田家雜占，魚躍離水面，謂之秤水，主大漲。蓋得陽氣而升耳。已而風狂浪湧，舟如鳧沒，榜人大恐。忽有鴉百十為羣，隨舟飛噪，榜人又喜。亟取飯團修脯向空拋擲，鴉以口應，百不失一。未幾，至馬家蕩泊矣。余按吳船錄載，巫山神女廟有神鴉，江行錄載，甘將軍廟有神鴉，岳陽風土記載，巴陵多神鴉，此地與巴陵近，殆即洞庭君所使，抑仍伏波所遣耶。爰紀以詩曰：口號流花水徑紆，隨流宛轉去徐徐。檣風高處來青鳥，桃浪肥時躍白魚。港汊縱橫愁地險，邨居荒落歎災餘。我來隨處參形勢，欲起哀鴻愧術疎。

荊營驗馬

荆營驗馬

荆州府，水陸交衝，重湟固壘，從古用武之地。我
朝康熙年間，吳逆平定，特設滿兵駐防，士騰馬飽，控
制維嚴。道光十三年春，副都統善英以營馬缺額，
乾銀充公，署將軍那當阿不肯用印，參奏得
旨，命麟慶會同湖廣總督訥爾經額（字近堂，滿洲繙譯進士。）馳往
查辦，并發清字摺二件。適近堂制府閱兵永綏，余
先到，卽委員赴滿營，將案册用印封貯，候近堂來，
公同拆看。知額兵四千名，馬一萬二千匹。乾隆七
年，將軍袞泰（滿洲，毅公。）果奏准裁八千匹，節省乾銀貼

補兵丁。嘉慶五年，將軍弘豐宗室，鎮國公。又請裁二千，部議恐需調撥，不准。詎私議扣存皮臟銀一萬二千兩作馬價，即自七年為始，少拴一千匹，其乾銀發給兵丁喂養實馬，並添餘丁、官學等用。十六年，將軍恒穎宗室又恐馬價不敷，添扣四千兩，遂致三十餘年相沿辦理，均未入奏。隨同赴旗庫提銀彈兌，數目相符。並傳甲兵百餘，隔別訊問。僉供：官無濫扣，情願具結。當又同日點驗馬匹。近堂查存營得五百六十匹，余查存廄得一千九百八十匹，除少拴外，實短四百六十四匹。核之原奏，多三十四匹。

詢據兵丁等供，係倒斃未屆限之馬，新買入廠，因照存七倒三之例，按月核計，尚無浮多。飭即循例於五月內，差官出口買補。查此案雖因調劑兵艱，並無剋扣侵冒情弊，但應奏不奏，究屬違例。請將歷任將軍都統議處。至那當阿不肯用印，質明係未見全稿，應與善英均免置議。得

旨：如所請行。

消夏日錄園言

息壤玫古

息壤攷古

荊州南紀門内正中，爲

敕建關帝廟。出門右轉，爲

禹王殿。旁有碑，相傳殿基爲息壤。按山海經載，鯀竊帝之息壤以堙洪水。路史載，禹治水自岷至荊，定彼泉流之穴，爰以石屋鎮之。溟洪錄載，唐裴宙牧荊，掘地得石，徑六尺八寸，徙棄之，陰雨彌旬。有道士勸作石室瘞之，乃止。宋蘇東坡息壤詩敘稱，荊州南門外有狀若屋宇陷地中，而猶見其脊，旁有記云：不可犯。畚臿所及，輒復如故，以致雷雨。又府志載，康熙元年大旱，土人請掘息壤祈雨。掘不數尺，有狀如屋，而露其脊。復下尺許，啟屋而入，見一物正方，上銳下廣，迫視之，非土、非木、非石、非金，其紋如篆，云即息壤。急掩之，暴雨不止，四十餘日。乾隆五十三年，荊江異漲，阿文成公（名桂，滿洲舉人，官大學士，以功封誠謀英勇公。）奉

命督辦，議在楊林磯等處鑄鐵犀鎮水，并議復息壤禹王殿立碣表之。仰蒙

俞允，發帑重建。荊人士至今感頌。癸巳四月，余駐節多暇，深慮荊江古穴多湮，水大為患，親閱萬城堤，直至

沙市，參訪形勢，因拜禹廟、瞻息壤，歸而攷其故實如此。